KB171742

오늘은 7학년

내일은 8학년

오늘은 7학년

내일은 8학년

10대 학생의 감성을 담아 써내려 간 하루일기

최주희 지음

주희's 하루일기

국제학교를 다니며,

7학년에서 8학년이

되는 동안

꼬적꼬적

써내려 간

하루하루를

담았습니다.

CONTENT

1장 / 오늘은 7학년

2장 / 내일은 8학년

1장- 내일은 7학년

23.06.10

엔딩

오늘은 내가 7학년이란 길고도 짧은 시간에 마침표를 찍은 다음 날, 일어나서 시간을 보니 7시이다.

학교가 끝났는데도 몸이 멋대로 일어나 움직인다.

얼굴에 난 베개 자국을 한 없이 바라보며 헝클어진 머리를 정돈 한다.

이를 닦고 머리를 단장한 후 캐리어와 함께 공항으로 출발하는 버스 정류장으로 발걸음을 나아간다.

지긋지긋하게 봤던 이 길을 다시 더 자세히 보니 아주 길게 개미들이 줄을 지어 있다.

그 옆엔 듬성듬성하게 자란 잡초와 꽃도 보인다.

엄마와 나는 방학동안 서울에 올라가기 위해 공항으로 갈 정류장으로 향하고 있다.

마치 내가 끌고 가고 있는 캐리어처럼 내 마음도 무겁다.

정류장에서 버스를 기다리던 중 고급진 차가 정류장에 멈춰섰다.

그 차에서 내린 건 다름 아닌 내 친구 이부자였다.

부자는 아이보리색 블라우스와 항상 매는 가방을 매고 있었는데 그 가방은 저번 친구들과 놀았을때 부자가 자주맨다는 가방이였다.

"어! 그거 그때도 매지 않았어?"

조심스럽게 한마디를 내 보았다.

하루를 시작하면 항상 보던 길, 친구들과의 수다, 선생님들의 꾸증, 시험기간 때문에 피곤했던 나날들이 끝났다는 것이 실감 났다.

매일 매일 지겹기만하던 일상이 그날 만큼은 나에게 그리우면서

돌아가고 싶은 시간인 것 같다.

하지만 후회하기엔 늦었다는 걸 이미 알고 있었기에 미련 남은 서브 남주 처럼 그 시간을 추억하기만 한다.

공항에 도착하자 1년전 뉴욕으로 이민 간 황펭구에게서 연락이 왔다.

갑작스러운 펭구의 전화에 당황하였지만 빠르게 전화를 받았다.

펭구와의 연락 속엔 달라 진게 없다는 듯이 친근감있는 말투와 나를 위로해주는 말들이였다.

비행기를 타야해서 연락은 금새 끝났지만 가는 내내 생각했다.

나는 펭구같은 친구를 바래왔던 것 갔다고. 펭구와 나는 꽤 친했는데 우린 6학년때 같은 반이였고 한마디로 운명이였다.

하지만 결국 같은 길을 걷고 있을 거라고 믿었던 펭구는 다시 보니 나와는 다른 길을 걷고 있었다.

난 그냥 경로이탈을 하고 있는 게 아닌가라는 생각이 들었다.

친했던 선생님들과 정들었던 반 친구들이 하나 둘씩 가는 걸보고 누군가 나를 기억했으면 좋겠다는 생각이 든다.

어느 순간 누군가 나를 기억해준다면 그것만으로도 나라는 사람이 그 한 사람에게는 기억에 남는 사람이 있다는 사실에 위안을 얻을 수 있는 것 같다.

비행기에서 내려 공항에 있는 카페에 갔다.

아무 일도 아니였다는 듯이 이렇게 태연하게 있는 나를 보고 나에게 친구들은 뭐였을까 생각하게 된다.

내가 지금 마시는 이 민트초코음료수도 내가 자주 먹는 음료지만 언제부터 마셨는지 어떻게 알게 되었는지는 기억이 나질 않는다.

그렇다고 친구들이 민트초코 음료수와 같은 건 아니다.

내 친구들은 변한다. 화낼 땐 누구보다 맵고 손을 잡고 걸을때면 누구보다도 따뜻하다.

나를 위해 그리고 나와 함께 변해간다.

집으로 가는 도중 또 목이 말라 편의점에서 딸기우유를 사 마셨다.

흔히볼 수 있는 딸기우유였는데 익숙한 맛과 익숙한 포장지, 내 친구들이 그랬던 것 같다.

지금보면 메일 보던 흔한 그 그림을 내가 너무 헛되게 쓴 것 같다.

미래의 타임머신이 생각 나면 7학년 첫 등교 날로 돌아가고 싶다.

지금 나에게 무언가가 남도록 돌아갈수만 있다면 그 반에서 그 친구들과 다시 추억을 쌓고 싶다.

집에 도착해 할머니가 집에 둔 알칼리물 정수기를 발견했다.

내가 어렸을 때부터 있던 것이라 많이 낡고 흠져 있는 정수기를 보니 왠지 오래된 내 소꿉친구를 보는 것 같았다.

어렸을 때 난 괜히 그 정수기에서 나오는 물이 마시기 싫다며 투정을 부렸는데 원래 마시던 생수가 더 좋다며 괜히 그랬던것 갔다.

이때도 난 익숙한것에 길들어 있었던 것 같다.

학교에서도 그랬던 것 같다.

같은 친구들과 등교하고 같은 친구들과 밥을 먹는 생활이 매일매일이 즐거웠고 이른 아침 기분이 안 좋아도 친구들만 만나면 기분이 싸악 바뀌었다.

23.06.11

인생사는 법

어제밤 엄청큰 천둥이 내리쳤다.

우리 집엔 에어컨이 아직 나오지 않아 창문을 열어야했지만 비가 쏟아져 왔기 때문에 창문을 닫아야 했다.

아침에 일어나보니 어제 천둥은 아무것도 아니었던 거처럼 태양이 뜨겁게 내리쬈다.

이렇게 날이 더워질때면 꼭 그 날이 생각난다.

그날은 어느때 보다 더운 날이었다.

월요일 아침이라 그런지 교실안에는 에어컨이 켜진지 얼마 되지 않아 방이 후끈후끈했다.

나는 창문과 가장 먼자리에 앉아서 수업을 들었다.

창가에 앉아 있었던 친구들은 물을 한모금 두모금 마셔가며 수업을 듣고 있었다.

애들 이마에 땀이 몽글몽글 매쳤을때 갑자기 사이렌이 울렸다.

평소라면 수업시간이 줄어 기뻐할 우리였지만 교실 안까지 내리쬐는 태양열 때문에 발걸음이 무거웠다.

서로 먼저 가라며 티격태격 대던 우리의 모습이 지금보니 너무 유치했던 것 같다.

하지만 눈을 뜨면 나의 방이다.

그날의 웃음, 희열, 두근거림은 그날만의 것이였다.

인생 14년 차의 삶을 무시하면 안 된다.

우리들의 인생은 만남과 헤어짐의 연속이다.

사춘기를 겪고 있는 나는 이런 경험이 마음에 오래 남는 편이다.

이렇게 극한 상황 속에서 우린 인생을 쉽게 살아가는 방법을 터득한다.

첫째, 내 사람을 만들어라.

언제든 나와 함께할 친구 하나쯤 만들어두는 건 추후에 외롭지 않을 수 있다.

학기 초부터 나는 나와 항상 같이 지낼 나의 찐친을 찾고 있었다.

물론 다른 애들도 이렇게 하고 있을수도 있겠지만 사람마다 입맛이 다 다르듯이 가끔 안맞는 인연도 있다.

그 인연들은 아무도 모르게 한발짝 두발짝 뒷걸음질을 하며 서로를 위해 모르는 사람인 척 연기한다.

둘째, 내 자신을 믿어라. 나 아니면 누가 이 험악한 세상을 함께 할 수 있겠는가.

인생은 나와의 싸움이기도하기에 난 나의 선택을 존중하기로 했다.

마지막으로 매 순간을 소중히 여겨라.

한번밖에 없는 인생, 누구보다 멋지고 성공적인 인생을 살고 싶은 나는 매일 매일이 소중했다.

하지만 만약 누군가 이 세 법칙을 고대로 따라할 수 있다면 그건 그냥 신일 것이다.

인생을 살면서 사람은 실수를 수도 없이 한다.

나도 그많은 사람에 포함되고 요즘 왠지 모르게 더 많이 힘든것 같다.

인생 14년 차라 무시할 수도 있지만, 이 나이 때 애들은 알건 다 안다.

걱정하지 말라고 하면 더 걱정되고 하지말라고 하면 더 하고 싶은 나이이기에 가끔 말보다 행동이 먼저인 나는 실수를 반복하고 만다.

23.06.12

그리운 우리반

살짝 눈을 떠보니 방안이 환하게 밝았다.

내가 불을 켜고 잤나?

엄마가 불을 켜고 갔나?

밝은 불빛이 방안을 채우는데도 왠지 모를 허전함 때문에 10분 정도를 더 이불속에서 뒤척거렸다.

실눈을 뜨고 주섬주섬 가방을 챙기고 내 소중한 아이팟 그 생명의 음악을 주머니에 슬쩍 챙겨 넣는다.

하필 출근시간이라 사람들로 꽉꽉 채워진 지하철의 모습은 보기만 해도 숨이 턱턱 막혔다.

평소에 비어있던 지하철 임산부석까지 모두 다 자리를 차지하고 앉아 있는 사람들을 보고 있자니 벌써부터 힘들 날이 예상이 돼 한숨이 절로 푹푹 내쉬어진다.

크게 한숨을 쉰 나는 고개를 이쪽 그다음엔 저쪽으로 숙인뒤 지루하다는 눈 빛으로 지하절 문 밖으로 보이는 어두 컴컴한 시멘트 벽면을 쳐다보았다.

지하철에서 너무 할게 너무 없어서 바닥을 보고 창문을보고 마침네 지하철 노선을 외우기 시작했다.

‘ 천호 다음 강동구청. 다음엔…’

가끔 노선표를 보다 사람들과 눈이 마주칠때면 한마디라도 던지고 싶었다.

어색하고도 또 아차 싶은 그 분위기가 왠지 7학년 학기 초 같았다.

반으로 처음 들어왔을때 새로운 얼굴도 있고 익숙한 얼굴도 있었다.

자리에 앉았을 때 어떤 새로운 아이가 앞 테이블에 앉아 있는 걸 봤다.

'오잉? 신입생인가?'

웬일인지 친해질 생각에 두근거림이 생각이 난다.

그때 우리는 뭔가 신기한 조합의 반으로 오합지졸반이였다.

우리 반을 보면 다들,

"너희 반은 그냥 짜투리 반아니야?" 라며 수근거렸다.

하지만 집에 있는 반찬을 섞어 만든 비빔밥이 모양새는 그래도 맛은 있듯이 우리는 꽤 어울렸다.

우리 반은 운동을 좋아하는 애들 공부를 잘하는 애들 게임 중독인 애들 그리고 말하기 좋아하는 애들이 다 어우러진 나의 기준에 충족하는 반이었다.

체육대회에서 1등을 한것도 아니고 반중에 가장 똑똑한것도 이니었지만 우리는 완벽했다.

운동을 잘하는 최잡재, 히대의 천재인 서당근, 어딘가 좀 미쳐있는 손구리, 나랑 친한 녀석들은 아니였지만 같은 반이 되었기에 내적 친밀감이 부쩍 늘어난 것 같다.

우리는 텔레파시가 통하는 것처럼 티키타카가 좋았다.

물론 이렇게 완벽한 반이 구성되기까지 많은 이별의 시간을 겪어야 했다.

비록 그땐 다들 많이 슬펐지만 우린 그 애들을 까먹지 않고 새로운 애들을 마주했다.

새로운 애들은 퍼즐 마추듯이 우리반에 딱딱 맞춰졌고, 10년 지기 친구처럼 친해졌다.

'여기서 내려야지.'

정신을 차리니 이제 복정역이다.

나는 7학년이라는 기차에서 내려 8학년이라는 기차로 환승한다.

그럼 모든 것이 바뀔 것이다.

위치, 의자의 구조, 에어컨의 온도, 그리고 안에 있는 사람들까지
숨을 깊게 들이 마신 다음 한걸음을 크게 내딛어본다.

23.06.13

만남

오늘도 어김없이 지하철을 타고 새로운 학원으로 갔다.

그 수업엔 젊은 선생님과 남학생이 있었다.

하지만 오늘의 만남은 여기까지였고 난 다른 일정이 생겨 그 학원을 못다니게 되어 그 사람들과의 인연도 끝이었다.

미련은 없었다.

이렇게 쉽게 쉽게 끝나는 것이 인연은 이제 잘 극복하기 마련이다.

일년이 지나면 뿔뿔이 흩어지는 사람들, 학교도 마찬가지라 생각한다.

난 학교 마지막 날에 친구들과 큰 울음을 터트렸리고 말았다.

처음엔 나도 울지 않으려 했지만 미운정도 정이라고 너도 나도 울기 시작했다.

학교 마지막날은 평소 점심 시간인 12시 반에 끝났다.

하굣길에 있는 나무에 작은 봉우리들이 있는 게 보인다.

봄엔 벚꽃이 폈었고 여름엔 흰 꽃 그리고 가을엔 갈색 나뭇잎, 터덜터덜 나는 나의 친구들과 정문으로 향했다.

정문엔 얼마남지 않은 선생님들이 있었고 거기엔 내 담임선생님도 있었는데 왠인지 선생님께 너무 미안하고 죄송해 다시 한번 울음이 나왔다.

한번도 정상으로 감사하다는 말을 못 들인게 선생님에게 큰 도움을 받은 학생으로서 큰 한이 됐다.

다른 선생님들에게도 유명한 우리를 최대한 우리에게 맞춰 우릴

믿어주신 우리 담임선생님에게 너무 미안했다.

우리의 담임선생님이 셨던 이선생님은 우리가 너무나도 의지 할 수 있는 사람이었다.

선생님은 항시 우리를 먼저 생각하고 우리 학교로 오신 지 일년도 안되신 분이였지만 항상 당당하고 웃기며 때론 진지한 모습을 보여주셨다.

'그땐 왜 그랬지?' 라는 후회도 들고 너무 감사하다는 생각이 들었다.

다시는 이렇게 만나지 못할 담임 선생님께 인사를 들인뒤 난 눈물을 숨긴 채 친구들에게 갔다.

학원에서 만난 사람들도 학교에서 만난 사람들처럼 원할 때 끝낼 수 있는 거였다면, 2시간이 걸리는 이 등원길도 지겹지는 않을 것이다.

23.06.14
미운 오리 새끼

택시를 타고 집으로 가던 도중 어미 오리뒤를 줄지어 따라가는 오리 가족을 발견했다.

근처에 큰 호수가 있어 오리가 있을 순 있겠지만서도 아기 오리들까지 이 꽉 막힌 도로에 있는 것은 오리 가족에게겐 아주 큰 모험이다.

마치 얇은 밧줄 위 외발 자전거를 타는 광대를 보는 것처럼 아직 얇고 허약한 다리로 휘청휘청 거리는 아기 오리의 모습을 보며 엄마, 나, 그리고 운전사 아저씨까지 숨죽이며 지켜봤다.

타던 택시가 움직이고 오리에 모습을 뒤로 한체 우리는 앞으로 향했다. 방금 상황을 생각하던 난 한가지 수상한 점을 알아차렸다.

'왜 아기오리 한명만 털 색이… 검은색이지?!'

어릴적 동화책에서만 보던 미운 오리 새끼 실사 버전을 보는 것 같았다.

혼자 다른 털색과 다른 오리들 보다 왜소한 몸.

그렇지만 웃긴 건 책속에서 미움 받던 오리가 아닌 사랑받고 있었던 오리였다.

당당한 발걸음으로 자기 자신의 다름을 특별함으로 바꾸는 아기오리는 아무리 자식이 평범함의 기준과 다르다 해도 그걸 받아주고 사랑하는 엄마 오리의 마음이 나의 마음을 사르르 녹게 했다.

23.06.15

만남과 함께 찾아온 불안

방학 후 친구와 처음으로 약속을 잡았다.

사회에서 점점 고립 되던 내가 오랜 만에 친구를 만나니 넘 설레였다.

약속장소는 찜질방 10분 정도 먼저 도착해 락커룸에 짐을 구겨넣고 손목에는 악세사리 같은 락커룸 키가 달랑달랑 '아 내가 찜질방을 왔구나'라고 알려주었다.

찜질방의 새련된 인테리에에 감탄하면서 지하 1층 구석 구석 다니면서 치우와의 아지트가 될 공간을 구경했다.

'찜질방하면 만화책이지, 주술회전이 어...없나? 있을 줄 알았는데…'

“뭘 찾냐?”

인사 없이 질문이 먼저인 치우를 보면서,

“아 찾고 있는데 없네...“

치우는 항상 저렇게 자기 할말은 먼저한다.

아무말 없이 그냥 날 뚫어져라 쳐다보는 것 만으로도 날 온전히 이해하는 건 언제나 치우였다.

이 친구는 김치우라는 애인대 나와 2년 동안 같은 반이 였던 나의 숨은 반쪽이였다.

치우는 나와 잘 통하고 서로 이해하고 같은 편이였다.

같은 편이 있으면 너무 좋은 게 혼자 다니지 않고 밥도 같이 먹고 수업도 같이 갈 수 있다.

치우와 난 선생님까지 알고 있는 완전한 초울트라메가슈퍼임페리얼 샤방샤방 베스트프렌드였다.

웬지 치우와 떨어져야 한다니 처음엔 괜찮겠지하다가도 치우한테 너무 익숙해져서 떨어지는 게 쉽지 않다.

8학년 스케줄을 본 우리는 같은 반이 아니라는 걸 알아 더 우울할 수 밖에 없었는데, 같이 듣는 수업도 거의 없어서 더 이상 말할 수 없었다.

치우와 함께하는 게 더 많아지고 좋아질수록, '우리가 더이상 얘기도 안 하고 밥도 같이 안 먹으면 어떡하지?' 라는 생각이 자주드는 시간이였다.

23.06.16

너무 바쁜 서울라이프

서울에 올라온 지 일주일이 넘었지만 나는 아직 서울 라이프에 적응 하지 못한것같다. 제주도와는 다르게 빠릿빠릿한 서울은 가끔 햇갈리기도 한다.

'나도 제주도에 정말 오래있었구나,' 라는 생각을 할 시간도 모자를 만큼 바쁜 서울 라이프는 내가 감당하기엔 힘든 일이다.

제주도에서는 백화점 쇼핑몰 놀이공원등 시설이 많이 없었지만 그럼에도 불구하고 친구들과 자주 만나 해질때까지 놀곤했다.

하지만 방학인데도 학기중보다 더 바쁜 지금 상황에 머리가 지끈지끈 거린다.

여기엔 백화점도 많고 교통도 편리한데 친구들과 있는것보다 더 심심하다.

바쁜 스케줄 때문에 친구들에게,

'야 우리 방학인데 만나자!' 라고 말을 못하는 내가 답답하고 무력했다.

일년동안 질리도록 보던 얼굴을 누가 이렇게 그리워 할 줄 알았겠냐… 고민 끝에 같은 반이였던 이늘봉에게 연락했다.

'야 우리 한번 만나야 되는데..'

타닥타닥 문자를 써내려가고 전송을 누는 그 엄지손가락은 긴장감이 담겨 있었다.

떨리는 전송음과 함께 답장을 기다리며 조마조마했다.

'야 근데 나 이번주엔 안됨.'

예상했던 답이지만 기분이 좋진 않았다.

'사실 나도 안돼 ㅋㅋ.'

무심하게 답장을 주고 침대에 드러누웠다.

학교에선 같이 놀 친구가 많았지만 방학이 되니 친구가 한명도 없는 기분이다.

마치 이게 전부 꿈처럼 느껴졌고 꿈속에서 칠학년 입학식 때로 돌아갈 것만 같았다.

떨리는 마음과 함께 양손으로 가방끈을 단단히 잡고 등교를 했다.

7년째 다니고 있는 학교, 항상 초심을 잃지 말자는 생각을 한다.

반으로 들어간 난, 두리번 거리며 나의 작년에도 같은 반이었던 치우와 루피를 찾았다.

마치 게임 재시작 버튼을 누른 것처럼 우리는 처음 본 사람처럼 굳어 있었다.

그 순간 난 '퀘스트 시작' 이라고 생각했다.

세상엔 할 게 너무나 많은데 정작 내가 할 건 없는 것처럼 느껴진다.

나이 제한, 키 제한, 점수 제한, 세상이 정해둔 기준점 앞에서 평범한 14세가 할 수 있는 것은 무엇인가 고민하게 된다.

23.06.17
어릴적 나의 추억

오늘은 주말이라 11시에 일어났다.

늦게 일어나 몸이 찌뿌둥했지만 주말이라 몸이 다른 날보다 잘 움직여졌다.

일어나 준비를 한 다음 오랜만에 이천 아울렛에 가기로했다.

이천 아울렛은 내가 어렸을때 자주 가던 곳이다.

이천이 집에서 가까운것은 아니었지만 이천 아울렛은 나에게 놀이 동산 같은 곳이었다.

오랜만에 가본 아울렛은 전과 꽤 달리져 있었다.

전에 사람으로 매워져있던 곳이였다.

그러나 아울렛에 오는 사람이 줄어드니 분위기가 달라져 있었다.

가게를 둘러보다 옛날에 사탕가게가 있었던 그 자리에 가보니 사탕 가게는 없고 한 안경가게가 있었다.

그 사탕가게 근처엔 항상 아이들이 줄 서 있었고 천방지축 아이들의 바램을 들어주는 어른들이 있었다.

거기만 지나면 나던 달달한 사탕 냄새에 발길이 묶인 적이 종종 있었을 정도였다.

하지만 안경가게가 자리잡은 지금 사람들은 좀처럼 보이지 않았다.

아울렛 1층으로 내려가 보니 내가 어렸을 때 보던 분수가 있었다.

여름이 되면 분수에서 물이 나오기 시작해 아이들이 분수로 달려가 물에 몸을 적시며 놀았었다.

나도 마찬가지로 아빠와 함께 들어가 해질때까지 놀았던 기억이 있다.

오늘 본 분수는 그때와 다를것 없이 반작였고 물이 빛에 반사되어 반짝거렸다.

하지만 아울렛엔 놀이터 기차등 다른 아동 시설이 생겨 아이들이 물에서 노는 모습은 볼 수없었다.

그 모습을 본 난 왠지 울컥했다.

'과거의 일은 과거의 일로,' 과거의 나는 그냥 과거의 나 였을 뿐이다.

23.06.19

사느냐, 죽느냐 그것이 문제로다

“제발… 살려줘!!”

아주 드라마틱하게 아침을 맞이한 날이었다.

아침부터 학원에서 보는 시험 때문에 아주 재정신이 아니였다.

“아니 무슨 시험이 이렇게 어렵냐고!!”

아무도 반응하지 않을것이라고 생각하지만 괜히 투정을 부려본다.

학원으로 도착해 곧장 최적의 자리인 뒤에서 두 번째 자리에 앉는다.

맨 뒤에 앉으면 좀 찔리고 앞에 앉긴 싫기 때문이다.

학원에서는 내가 제일 어린 편이라 언니 오빠들이 하나둘씩 들어오면 괜히 움찔거린다.

학교에서는 우리가 일짱이였다면 여기서는 걍 삐약거리는 새내기다.

시험이 시작됐다.

앞에서 하나 둘씩 곡소리가 들려오니 괜히 나도 그럴까봐 식은땀이 흘러내린다.

“자, 이제 다 풀었지? 빨리 제출해. 오늘은 6명 통과하면 집가는거야”

사람들은 6명이 통과해야된다는 사실에 좌절했다.

시작한 지 1분도 안된 것 같지만 '제출' 소리가 나온다.

그러자 손이 점점 꼬이기 시작하고 괜히 찔려 엉덩이를 의자에서 들었다 놨다 반복한다.

"애기는 온지 얼마 안 됐으니까 천천히해."

오랜만에 애기라고 불려 기분이 좋기도 했지만 이런말이 괜히 더 부담스럽게 느껴졌다.

진짜 머리가 터질것 같았고 봐주는 건 없다는 것을 알기에 처형장으로 가는 듯 고조된 분위기를 가로질러 뛰어가는 중 손이 나의 길로 쭉 나오는 것 같았다.

하지만 난 손을 피해 내 갈길을 갔다.

23.06.21

험난한 등교길

어제 저녁 부터 비가 보슬보슬 내리기 시작했다.

난 밤새 오늘 비가 내리지 않기를 빌었지만 신께서 나의 부탁을 무시한 것 같다.

난 역과 가까이 살기 때문에 지하철을 자주 이용한다.

오늘도 지하철을 타고 가야했는데 역 안으로 들어가자 바닥엔 물이 흥건했고 사람들은 헐래벌떡 뛰고 있었다.

'아직 지하철오기 4분 남았는데 왜 다들 뛰는거지?'라고 생각했다.

지금 생각해보니 그 사람들은 회사라는 곳에 가기 때문인 것 같다.

내가 학교 다닐 때에는 이렇게 비오는 날은 지각을 자주 하였다.

학교 중후반인 여름에 엄청 심한 장마가 왔다.

그날 아침엔 비가 너무 와서 그날 휴교인 줄 알았다.

하지만 그날은 휴교가 아니였고 난 빠르게 준비해 나갈 채비를 했다.

하굣길은 차들로 매어 터질 것 같았고 난 아직 아파트 정문이였다.

늦을까봐 마음이 조마조마하던 그때 치우에게 전화가 왔다.

'야 너 어디야?'

치우가 다급하게 물어본 목소리 뒤로 치우 엄마와 동생의 목소리가 들려왔다.

'어 나도 아직 도착안함. 오늘 너무 막힘.'

학교에 반쯤 도착하던 중 인도에 익숙한 크기에 애가 뒤에 차오는 아이를 피해 뛰어가고 있는 모습이 보였다.

자세히 보니 그건 치우였고 난 엄마에게 치우랑 같이 걸어가겠다고 했다.

난 치우를 만나 감격스러운 상봉을해 같이 학교로 걸어갔다.

다행히도 비오는 날이라 벌점을 받지 않았다.

23.06.22

학교 가고 싶다

학원은 학교와 완전히 다르다는 것을 느끼는데 대표적인 이유가 바로 친구와의 관계이다.

학교에서는 약간 인생의 동반자를 만나듯이 반배정등 담임쌤이 매우 중요하다.

학기 초에도 나와 나의 친구들은 손을 맞잡으며 결과를 조심히 보았다.

하지만 학원은 잠시 만났다 헤어질것을 알기에 정이란 것이 없다.

반면 학교는 정이 아주 많은 곳이다.

거기에서는 미운정도 정이라는 말도 사실 인것 같다.

학교 마지막 주 체육대회 때였다.

그때는 조끼리 움직이며 게임을 하는 것이였는데, 앞에서 푼 물을 뒤에서 받았다.

나는 남자애들이 많은 조였는데 하필 앞에 있는애가 장난끼 많은 남자애였다. '

아씨, 제발 뿌리지마…' 속으로 조마조마하며 물을 받으던 중

" 촥!"

멀끔했던 나의 옷엔 물방울들이 매쳤고 머리는 흠뻑 젖어 있었다.

앞에 남자애는 헤헤 웃으며 나를 바라봤다.

나는 순간 깊은 빡침이 올랐지만 괜히 씁쓸한 느낌이 들었다.

다시는 못 본다는 기분, 말 그대로 이게 정말 마지막이라는 사실에 한숨만 푹푹 나온다.

내가 6학년 졸업식 이틀전에 몸이 안좋아서 학교에 가지 못했다.

나는 병원 대기줄에서 딸꾹질 날 때까지 울었다. 울음소리는 복도 끝까지 울려퍼졌고 난 신경쓰지 않고 울었다.

집에 도착해 놀이공원에서 놀고 있을 나의 또 다른 베프 심루피에게 연락을 했다.

"뭐해?"

"지잉!" 전화 벨소리가 울렸다.

"어··· 왜??"

전화를 받자 뒤에 애들이 신나게 떠들고 있는 소리가 들렸다.

"야 괜찮아? 너없어서 넘심심해"

루피의 말에 괜히 슬프면서 위안이 됐다.

"어, 괜찮아."

애써 울지 않으려고 말을 아꼈다.

"야! 최주희!"

뒤에서 낯익은 목소리가 들려왔다.

"일년동안 고생했고, 나랑 잘 지내줘서 고마웠다! 나중에 누가 더 큰지 보자!!"

씩씩하게 한마디 던진 건 그해 미국으로간 백세프였다.

그 애랑은 진짜 오래 같은 반이었고 항상 키로 티격태격하던 애였다.

미운 정도 정이라는 게 사실이었나보다. 괜히 찡 해서 눈에 눈물이 맺혔다.

"응, 너도!…"

다음날 난 학교에 가지 못해 집 침대에 누워있었다.

너무 지루해 뒤척거리던 중 임루비에게 연락이 왔다.

'현관앞에 봐봐!'

난 루비가 평소에도 행실이 좋고 바른아이여서 분명 좋은 것이라고 생각하고 당당히 현관에 갔다.

현관에 가보니 졸업사진 책이 놓여져있었는데 그 안엔 선생님과 아이들의 사인이 들어있었다.

루비와는 오래 알고 지냈지만 왠지 모를 벽이 있듯이 항상 같이 있지는 않았다.

그렇다고 어색한 사이는 아니였지만 난 루비와는 항상 더 친해질 부분이 있다고 생각했다.

그럼에도 불구하고 나를 위해 졸업사진을 들고 다니며 친구들 사인을 받으러 다닌 루비가 진짜 친구라 생각이 들었다.

친구란?

1.명사 - 가깝게 오래 사귄 사람.

2. 명사 - 나이가 비슷하거나 아래인 사람을 낮추거나 친근하게 이르는 말.

FRIEND

buddy

친구

親舊

벗

23.06.23

엄마

엄마란 존재는 자식이 아무리 생각 해도 화만 내는 존재와도 같다.

서로 싸울때면 나는 항시 먼저 사과를 하고 엄마는 나의 사과를 받아주고 꽤 꼰대같은 말을 내뱉을 뿐이였다.

왜 그래야 될까.

엄마라는 이유로 엄마라는 이름을 가지고 왜 나를 이리도 괴롭힐까.

친구들 사이에서 들리는 나에 대한 안 좋은 소문들보다 엄마의 잔소리가 더 싫증날 때가 많다.

엄마는 항상 나에게 잘 좀 말하라고 한다.

친구들과 엄마를 제외한 사람들은 다 잘 알아듣는데 엄마는 나의 실수와 모자란 점만 보이는 것 같다.

엄마는 다른 사람들 앞에서 나를 무시하고 깔보는데 왜 나는 왜 내가 하면 결과 달라지는 것일까.

너무나도 짜증이나 진절머리가 안다.

이렇게 엄마가 미운 와중에도 엄마를 이해하는 척을 한다.

엄마를 이해하려고 한다.

이런 내가 그냥 제정신이 아닌 것 같기도 한다.

엄마는 이 모든 걸 날 위해 하는 것인데 왜 나는 기쁘지 않은 것일까.

이런 내가 싫고 지금 내 감정들을 다 흔들어 놓은 엄마도 싫다.

나도 안다.

엄마는 더 잘 알고 있을 것일테니까 엄마도 나와 같은 학생이였던 적이 있었으니 말이다.

하지만 난 엄마가 되어본적이 없으니 엄마를 머리부터 발끝까지 이해한 건 아니지만 그래도 안다.

엄마가 무슨 생각을 하는지 어떤 기분인지, 나도 알건 다 아는데 엄마는 내가 아무것도 모르고 나를 다그칠 생각만 한다.

다른 애와 비교 하지 말라고 하면서 내가 말하기도 전에 나와 다른 아이를 비교 하기 시작한다.

그걸 왜 또 까먹었니? 그걸 그렇게 하면 어떡하니?부터 옆집 애는 수학만 5개 다닌다 등 나도 내 자랑도 할 줄 아는데 왜 그 말을 안 꺼내는 이유는 딱 하나다.

이제 지쳤기 때문이다.

엄마는 내가 이길 수 있는 상대가 아니다.

어차피 내가 질 게임인데 엄마에게 1시간 동안 잔소리를 듣는 것보단 내가 할 말을 줄여 말 수를 줄이는 방법 뿐이다.

그리고 방에 들어가 잠을 청한다.

일어나고 나면 아무 것도 없이 난, 엄마가 준비한 무대에 서 있고 노래에 맞춰 춤을 추고 있다.

귀에 꽂은 낡은 이어폰, 손에 있는 조그만한 단어 사전, 들쭉날쭉한 손톱까지 무언가 모난부분이 있다는 게 거울 속 나를 보는 것 같다.

엄마의 모진 말을 들을 수록 난 더 초라해지고 작아져만 간다.

그렇기 때문에 내가 다른 사람보다 더욱 사랑에 집착하는 것 같다.

학교 친구들에게는 무한한 관심과 동경, 선생님께는 넘치는 신뢰와 애정, 나란 존재는 사랑을 원하는 존재이다.

이런 나의 비밀스럽고 꽤나 인간적인 면모는 아무도 모를 것이다.

23.06.24

학원이 만들어준 인연

오늘도 어김없이 학원으로 가, 맨날 앉는 자리에 앉아 수업 시작을 기다린다.

학- 학원은
원- 원해서 가는게 아니야…

벌써부터 닥쳐올 단어 시험이 너무 두렵게 느껴진다.

"짠!! 나옴 ㅋㅋㅋ."

화려한 등장으로 반에 들어온 사람은 다름 아닌 김꼬닥 언니다.

언니는 처음 만났을때도 친화력이 넘사벽이라 혼자 밥먹는 나에게 구원 같았지만 지금은 걍 십년지기 친구처럼 친한사이이다.

꼬닥언니는 친해질수록 장난이 많고 편안한 언니이자 이해자이다.

꼬닥언니의 시끄러운 등장 반면에 내 옆자리에 쓱 앉은 건 다름 아닌 김슈가이다.

이 언니는 처음엔 성숙하고 묵묵한 이미지였는데 친하고 보니 누구보다 친절하고 고민 상담을 하기에 너무나 좋은 사람이다.

우리 셋은 토플 학원에서 처음 만난 사이이다.

비록 만난지 얼마 안 됐지만 이 지옥같은 학원에서 의지할건 동료밖에 없었다.

우리가 처음 만난 날은 내가 토플 학원은 다닌 둘째주 첫번째 수업때였다.

수업이 끝난 점심시간 입맛이 없던 나는 귀에 낡아빠진 나의 에어팟을 꽂은 뒤 책상에 머리를 박았다.

문으로 나가려는 사람들과 눈을 마주치기 싫어 괜히 벽을 멍하니 바라볼때였다.

“혹시 같이 먹을 사람 없으면 저희랑 같이 먹을래요?”

나는 언니와 나눈 첫 말을 정확히 기억한다. ...

상상도 못한 일이었다.

학교에선 나름 먼저 같이 먹자고 하는 편이었지만, 완전히 남인 사람한테까지 권유할 생각을 1도 못해봤는데, 그런 내 생각과 반대되는 꼬닥언니의 말에 어벙벙해져 ‘네’ 밖에 나오질 않았다.

23.06.25

책임감

원래 학원에선 내가 제일 막내였지만 오늘 나보다 두살 어린 초등학교 육학년이 들어 왔다.

왠지 모를 긴장감에 그애를 마주치기 싫었다. 그애는 앞에서 두번째줄 선생님과 가장 가까운 자리를 선택했다.

점심 시간이 되었을때 꼬닥언니는 혼자 있는 그 아이에게 가

" 혹시 혼자면 우리랑 같이 밥 먹을래?"

난 속으로 '으.. 왠지 불길한데..'라고 생각하면서 따라오는 아이를 힐끔힐끔 처다봤다.

아이를 데려오느라 이십여분이 지났다.

그런데도 불구하고 우린 아직 도착하지 못했다.

언니도 점점 평정심을 잃어버린 찰나 애가 사라졌다.

우린 살짝 멘붕이 찾아왔고 상가 근처를 둘러보았지만 애는 사라졌다.

‘ 으악 납치된건가’

그때 언니는 나의 팔을 쭉 당겼다.

23.06.26

수요일병

월요일병이 아닌 수요일병.

수요일은 항상 내가 일주일의 반은 살아남았다는 증거로 여겨진다.

'이틀만 지나면 주말이다'라는 생각으로 참아보지만 괜히 시계만 보게 되어 조바심 있게 된다.

이런 날엔 왠지 모르게 문제 하나 둘씩 더 틀리는 게 국룰이다.

그럼 머리부터 발 끝까지 화가 나는데 내 화를 표출 하기엔 사람들이 너무 많았다.

'수요일 좋아.. 수요일 좋아..'

도저히 머리에 들어오지 않는 와중에도 긴 고생 끝에 점심시간은 찾아왔다.

난 친구와 함께 특별히 편의점에서 먹기로 했다.

난 매운 라면, 삼각김밥, 초코우유, 그리고 친구는 매운 라면, 핫바, 커피를 사와 편의점 밖에 있는 자리로 갔다.

아무래도 매운 게 잠을 깰 것 같아 맵기로 유명한 라면을 준비했다.

편의점에서 처음 끓이는 라면이라 쫌 어색했지만 꽤 봐줄만했다.

모든 게 준비된 후 진한 초코우유를 한입 마시니 입안으로 들어오는 초콜릿 맛이 잇몸을 즐겁게 해 나도 모르게 입가에 미소가 띈다.

23.06.27

그때 그 시절

심심할때면 가끔 멍때릴때가 있다.

멍때리다보면 커다란 호수에 나라는 작은 돌맹이가 톡하고 떨어진 기분이다.

다른 외부 간섭에 방해받지 않고 비밀아지트 같다.

난 멍때릴 때 주로 방의 구조와 인테리어를 생각하는걸 좋아하는데, 그날은 7학년 담임반을 생각해보았다.

양면이 창문 이어서 한쪽은 복도 반대쪽은 바깥이 훤히 보이는 넓은 창이 있었다.

문을 열면 큰 텔레비전 뒤에 선생님 책상이 있었고 오른쪽을 보면 여섯 개의 책상이 삐뚤빼뚤 있었다.

의자는 귀여우면서 웃기게 생긴 동글동글하고 연두색 의자였다.

교실 뒷편엔 간단한 스케줄과 큰 DNA모형이 있었는데 한번쯤 건드려보고 싶은 그 큰 모형이 아직도 기억에 남는다.

항상 의문이였던 게 왜 선생님은 텔레비전 뒤에 그 좁은 자리에서 계실까?

수업 진행이나 잠깐 앉아있는거라고 생각할 수 있지만 담임 선생님은 거기에서 업무도 보시고 간식을 드시기도 했다.

첫날에 비어있던 책상이 마지막날까지 지저분한걸 보면 왠지 우리가 선생님을 너무 많이 괴롭힌거 아닌거 생각한다.

난 선생님 책상과 가장 가까우면서 창문과 가까운 자리에 앉았다.

봄엔 그 자리가 너무 따뜻하고 겨울엔 뒤돌면 보이는 눈덩이때문에 등골이 오싹했었다.

내가 칠학년때 우리반 여자아이들은 서로서로 다 친했다.

누구하나 소외 되는 거 없이 두루두루 잘 지냈다.

생각해보니 반에서 여자애들끼리 크게 싸운적도 없고 막 울고 그러진 않았는데 그래서 그런지 마지작에 다 보내야하는게 넘 슬펐다.

우리반은 서로 잘 지냈음에도 불구하고 선생님들 사이에 반 이미지가 좋지 않았다.

반에 들어갈때면 살짝 눈치 보이는 게 있었고 미안한것도 있었다.

하지만 나도 모르게 나도 아이들의 장난의 함류 하게 되는 일상이였다.

남들 신경쓰지 않고 마이웨이인 우리반이 참 신기했다.

평소라면 한마디했을 것 같지만 옆에서 키득 거릴뿐이였다.

우리반 여자애들은 진짜 끈끈한 사이가 됐고 학기 말엔 쉬는시간에도 같이 있었다.

어느날 친구에게 문자가 왔다.

" 야 여자애들끼리 한번 만나야지!"

이 장난 같으면서도 진담 같은 얘기에 나혼자 설레발을 친 적이 있다

23.06.28

톰 크루즈 본 썰

정말 오랜만에 잠실에 갔다.

나는 놀이기구를 잘 못타 잠실에 갈 이유가 딱히 없지만 나와 친구는 은근 갬성을 좋아해 괜히 잠실에서 만난다.

오늘은 평소와 다르게 버스를 타고 갔는데 바깥에 비가 내리는 걸 보니 잠이 몰려왔다.

눈을 뜨니 벌써 잠실환승센터였고 난 허겁지겁 약속장소로 향했다.

친구와 나는 쇼핑몰을 두리번거리다 유명 배우인 톰크루즈가 4시에 이 쇼핑몰로 온다는 사실을 알았다.

우리는 학교에 널린게 외국인인것을 알지만 왠지 모를 차이가 있었다.

학교 선생님은 한국에 좀 살아서 그런지도 모르겠다.

아무튼 우린 두근거리는 마음을 가라앉이고 3시 반에 톰크루즈를 보러가기로 했다.

우리는 너무 기대되는 마음에 빨리 그 장소로 갔다.

하지만 만리장성처럼 길고 넓게 있는 사람들을 재치기엔 무리여서 2층으로 올라갔다.

2장 - 내일은 8학년

23.07.01

무한으로 흘러가는 시간

점심을먹고 핸드폰을 보는데,

‘엥? 내가 잘못 본 건가? 벌써 칠월이라고?’

눈 깜짝할 사이에 칠월이 된 걸 본 나는 내가 적어놓은 버킷리스트를 확인했다.

‘ 엄.. 난 뭘한거지??’

분명 피눈물을 흘리며 겨우겨우 살아가고 있었는데 내 버킷리스트를 반도 못채웠다니!

내가 원하는 것이 아닌 부모님이 원하는 걸 하는 게 아닌지 의심한다.

이 나이 땐 부모님이 다른 애들은 더 많이 한다라는 말을 하루에 수천번도 넘게 듣는 것 같다.

나름대로 반박의 말을 해보지만 부모님은 그 모습 마져 트집을 잡으실 때마다 난, 중학생인 우리도 충분한 인격을 가진 인간이라 생각한다.

뭐, 당연한 얘기지만 요즘엔 나이에 맞는 수준이 살짝 아니 많이 올라 간 것 같다.

물가도 올라가고 수준도 올라가고 할 거 많은 요즘 중학생들에게 무슨 청진벼럭 같은 소리인가.

난 이제부터 내가 하고 싶은 걸 하기로 했다. 어디서 시작해야할지 모를 나의 버킷리스트를 다시 한번 보며 실현 가능할 목표를 슥슥 적어간다.

주희's 버킷리스트

친구 10명 만나기

방탈출카페

보드게임 카페

인생네컷 가기

내 생각 말하기

23.07.06

우리동네 웃음 지킴이

오랜만에 격는 휴식을 만끽하고 있을때 쯤 엄마가 밖으로 외출하자고 하셨다.

난 평소에 지하철을 엄마보다 많이 타 당당한 발걸음으로 역으로 향했다.

오랜만에 버스 타고 가자고 하는 엄마의 한마디에 괜히 귀찮아졌다.

우린 백화점으로 가는 아담한 초록색 마을 버스를 탔다.

'안녕하세요.'

버스를 타니 친절하게 기사님이 반겨 주셨다.

하지만 난 처음 받아보는 낯선 말에 나도 모르게 너무 냉정했던 것 같다.

자리에 앉은 후 대답을 해드리지 못한 것을 후회했다.

기사님은 어르신들과 학생들에게도 친절히 대해주셨는데 괜히 내 자신이 부끄러워져 혓바닥을 깨물며 말을 아꼈다.

학교에서도 그런 친구가 있었는데 그 친구가 처음 전학왔던 날 같은 반은 아니었지만 친구들이 소개해줘 알게 됐다.

지금 그 친구를 보면 많은 생각을 하는데 처음 그 친구를 만났을 때 왠지 모르게 말을 무시하곤 했다.

학교 온지 얼마 안됐을 때라서 더 미안하고 또 미안했다.

애를 무시하고 몇 걸음 후 나는 속으로 '최주희!! 너 왜이래!!!" 하지만 발걸음은 멈추지 않았다.

어렴풋이 본 그 친구의 당황한 표정만이 기억에 남는다.

지금은 누구 보다도 멋있고 쿨하며 나와도 잘 지내고 있지만 예전에 그 친구를 보면 내 자신이 작아졌던 것 같았다.

23.07.09

인스타 속 나

인스타 스토리를 보던 중이였다.

마치 짠 듯 학교 친구들과 후배들이 연달아 해외여행을 가서 찍은 인증샷이 올라왔다.

손톱이 손바닥을 파고들어 슬슬 아파오던 찰나 가볍게 심호흡을 한번 내쉬고 마음에 안정을 찾았다.

약 일주일전 그 일이 생각났다.

난 꼬닥언니와 방학 분위기를 내기 위해 마라탕 사진을 인스타에 올렸다.

사진을 올린 몇 시간 뒤 친한 남자애인 이산호에게 연락이 왔다,

"난 미국이라 피자, 햄버거, 핫도그. ㅋ."

현지에서 먹는 피자는 정말 맛있다고 들었는데, 난 그맛을 한번도 먹어보지 못한 사람이기에 얼굴이 토마토 처럼 빵빵해져서 문자를 무시했다가 결국 속마음을 털어 놓게 되었다.

"개부럽노."

그럴 나이 이긴 하지만 요즘보면 괜히 내가 인스타에 너무 집착하는 편이라 느껴지고 인스타에 중독된 것 같다.

딱 학교 마지막날 깐 인스타라 그런지 친구들과 사진도 많이 못 올렸고 내 인스타 프로필과 팔로워는 다른 아이들에 비해 초라했다.

아무 것도 없이 비어있는 프로필과 팔로워 보다 팔로잉이 더 많은 나는 더욱 더 사진에 집착하게 됐다.

이리 손을 댔다가 저리 댔다, 최고의 조명과 배경을 찾아 자연스럽게 찍는 것, 그게 우리가 생각하는 최고의 사진이였다.

난 귀여운 키링을 가방에 달고 거울 앞으로 간 다음 포즈를 잡는다.

자연스럽지만 그렇지도 않은 애매한 이 기준을 설명하긴 어렵지만 인스타를 하는 사람은 알 것이다.

마치 이상한 나의 앨리스가 된 듯, 나는 말도 안 되는 퍼즐 같은 세상의 뛰어든 것 같은 이 세상을 탈출하기 위해선 꿈에서 깨어야 했다.

"툭"

23.07.10

다시 온 이별

"끼야ㅑㅑㅑ!"

난생 처음 방탈출을 해본 나는 고삐 풀린 망아지 그 자체였다.

학원 마지막날, 어느 때보다 마음은 가볍고 섭섭함과 기쁨이 내 안에서 소용돌이친다.

"후… "

경건한 발걸음으로 방에 들어가지만 아무도 날 쳐다보지 않는다.

평소처럼 꼬닥 언니 옆자리로가 집중해있는 언니의 어께를 톡톡 건드린다.

수업이 다 끝난 후 점심시간에 꼬닥언니와 최후의 만찬을 가졌다.

왠지 모를 무거운 기류에 말을 걸어본다.

” 오늘 마지막인거 알지..?”

식사를 마친후 우린 자습을 하고 슈가 언니를 만났다.

우린 우리에게 주어진 한시간 반이라는 시간을 어디서 어떻게 써야될지 고민하다가 방탈출 카페로 가기로 했다.

나는 호러장르의 스토리를 하고 싶었지만 의외로 겁이 많은 꼬닥 언니 때문에 순정 드라마 스토리로 결정했다.

우리가 결정한 스토리는 “익명의 여자”였다.

난 너무 신나 방에 들어가는 도중에도 언니들에게 장난을 쳤다.

신기현이라는 회사원이 익명의 소개팅녀와 얘기하다가 그녀의 충격적인 정체가 드러나는 스토리였다.

비록 클리어하지 못했지만 처음 하는 방탈출이였기에 나는 좋아서 펄쩍펄쩍 뛰었다.

작별의 시간이 다가오자 방금까지 하하 웃던 언니들은 사라지고 쓴 웃음만 남았다.

우린 말로 한번 눈으로 두번 인사를 하고 작별을 했지만 웬지 모르게 다시 만날거라는 기분이 들었다.

집에 도착해 나는 케리어 가장 깊은 곳에 있는 나의 버킷리스트를 꺼내어 '7월 10일 방탈출카페 갔다옴!' 이라고 적음과 동시에 내 눈에서 눈물 한방울이 뚝 떨어져 나왔다.

뚝

뚝

뚝

23.07.11
어린 꼰대

"띠링!"

핸드폰을 켜보니 한 후배에게서 연락이 왔다.

'언니! 혹시 칠학년 수학 과학 어려운거 알려주실 수 있으세요?'

처음 받아보는 후배의 질문에 설레여 꼰대 같지만 장문의 메시지를 보내야겠다고 생각했다.

벌써 가물가물하지만 기억을 하나하나 되집어보니 사소한 추억들이 생각이 났다.

과학 시간에 몰래 친구와 쪽지로 얘기하다 너무 답답해 소리지르며 말해줬을 때 등의 좋고 안 좋은 기억 모두다 스쳐 지나간다.

한문장 한문장 적을때마다 웃음이 새어 나온다.

이제는 가물가물한 기억을 되짚어 보며 추억회상이라는 것을 한다.

학교를 다닐 때 난 항상 우리가 너무 늙었다고 말하고 다녔다.

다른 아이들이 내가 겪었던 일을 반복하고 똑같이 겪을 때 난 가끔 그들을 바라볼때가 있었는데 익숙한 그림을 보는듯한 느낌이 들어 애틋하고 그들을 더 보고 싶기도 했다.

하지만 그때 나도 꽤 어렸었기에 사소한 것에도 깔깔 웃고 비밀이 있으면 소곤소곤 얘기하고, 미숙하고 천방지축 이었던 나의 유년기를 난 가슴에 새기고 있는 것 같다.

문자를 다 적고 보니 600자 넘는 양에 답장이 되어버렸다.

23.07.12

첫만남은 너무 어려워

"이야! 날씨 너무 좋다!"

이번주 내내 비가 주룩주룩 와 온몸이 축 쳐져 있던 나에게 뽀송한 공기와 산뜻한 바람이 부는 오늘 같은날이 기분전환하기 딱이였다.

마치 하이틴 여주된듯 아침부터 문자 정리를 한다.

'하, 이놈의 인기란.'

아무도 몰라 주지만 나 혼자 으쓱 된 기분이다.

칠학년 개학날에 나는 유학년때의 유아틱한 이미지를 버리고 성숙하고 모범적인 모습을 보이기도 결심했다.

단정한 머리, 정 가운데에 있는 타이, 그 밑에 날 더욱 더 성숙하게 보이게 해주는 아이디 카드를 한번씩 더 확인 한 후 경건한 마음으로 등교를 했다.

하지만 세살 버릇 여든까지 간다는 말이 있듯 내 습관들은 쉽게 변하지 않았다.

처음엔 그래도 쿨하게 반응한것 같지만 이후에 나는 흥분을 가라앉지 못하고 폭주하고 말았다.

말하고 말하고 말하고 점점 추임새 가 많아지던 찰나 점심시간이 다가 왔다.

난 급식판을 들고 쉬는 시간에 점심을 같이 먹기로한 친구들에게 갈려던 찰나, 반끼리 먹어야 된다는 사실을 까먹고 있었다.

난 이 기회를 틈타 나의 친화력과 스마트함을 보여주려고 했지만, 아무도 말을 하지 않았다.

"크흠…"

분위기는 살얼음판 같았고 눈도 마주치지 못할 정도로 뻘쭘했다.

앞, 옆, 이쪽, 저쪽을 힐끔 힐끔 쳐다보며 젓가락만 끄적되다보니 어느새 점심시간은 반쯤 지나있었고 다른 애들도 밥을 잘 먹지 못했고 식판을 뚫어져라 보고 있었다.

선생님도 이 분위기를 회복시키고 싶어 했지만 우린 단답형으로 예 혹은 아니오로 최소한의 대답만 해댔다.

반애들이 다 있고 선생님도 있었기에 나는 점심을 다 먹지 못했고 다음 시간인 수학시간에 배가 꼬르륵거려 엄청게 부끄러웠다.

23.07.13
애벌레에서 나비로

서울로 올라온 후 오랫동안 얼굴을 못 봤던 문그림과 한원신을 만났다.

학교가 아닌 다른 곳에서 이 둘을 만나니 새로웠다.

그중에서도 가정 놀라웠던건 바로 그림이의 의상이였다.

평소 그림이가 입는 옷은 그냥 티와 바자 그리고 헤드폰이였다.

놀라서 다시 쓱 보니 크롭 청 재킷과 명품티 그리고 짧은 반바지였다.

놀라서 눈을 꿈뻑꿈뻑거리며 생각했다,

'어… 그림이가 옷에 관심있었나?'

"나 치마 살꺼야."

놀라움의 연속이었다.

난 기뻐해야할지 싫어해야할지 고민하였다.

" 나 학교가면 많이 변해 있을 거야. 더 성숙해 질 거고, 옷도 이쁘게 입을꺼야." 그림이의 말은 처음엔 당혹 충격이었다.

왠지 전에 놀던 애들과 멀어진다는 얘기처럼 들려왔다.

그림이가 학교에서 자주 놀던 애들은 순수하고 재밌었다.

단지 엄청난 소속감을 갖고 있었을 뿐 나도 원래는 그 무리의 애들과 놀았었다.

하지만 나는 그 무리를 떠나 새로운 무리를 만나 잘 지내고 있다.

그들이 싫은 것이 아니라 단지 난 나의 발전을 택했던 것 뿐이다.

현실을 더 받아들이기 위해 조금 더 한걸음 내딛은 것이다.

하지만 그림이의 말을 생각해보니 난 그림이가 내가 겪었던 단계에 위치해 있다는 것을 알게 되었다.

더 성숙하고 모범적인 사람이 되기 위해 최선을 다하는 그림이를 난 응원해주고 싶었다.

그림이가 원하던 옷을 같이 보고 입어보고 내 일도 아닌데 너무 설레어 도파민이 마구 분출 됐다.

그림이 자신이 원하는 모습의 그림이가 되길 축복해 주고 싶었다.

난 그림이에게 옷 세벌을 쥐어준 뒤 따라온 원신이에게 말을 걸었다.

“ 원신아 너도 옷 입어볼래?”

23.07.14

태생부터 난 빵순이

새벽부터 쏟아지는 비를 뚫고 3번 환승을 해 정자역까지 도착했다.

투명색 우산을 탁피면 우산에 남아있던 빗물이 이리저리 날아간다.

귀에 있는 에어팟에서 나오는 음악에 심취해 마치 내가 아이돌이 된듯 도도한 자세로 걸어간다.

마스크로 가려진 입은 가사한글자도 빼먹지 않고 정확하게 읽는다.

어렴풋이 들려오는 빗소리와 자동차 경적들 하지만 그 순간 만큼은 현실에서의 내가 아니라 가수가 된 나였다.

하지만 이런 나의 분위기를 깨는 게 있었다.

학원 가는 길에 마주치는 빵집이였다.

노란색 간판에 원숭이가 그려져있는 아기자기한 빵집이였다.

코로 들어오는 달콤하고 고소한 빵 냄새 때문에 발걸음을 멈춰서서 고민한다.

"짤랑!"

문을 열면 상쾌한 에어컨 바람과 갓 구어진 빵들이 놓여져 있다.

난 접시와 집게를 들고 빠르게 한 바퀴를 돈다. 많은 빵들중 내 마음에 쏙 든 것은 바로 에그타르트였다.

두툼한 과자와 잘 익은 에그타르트 윗면, 이걸 보고 배가 고프지 않을 사람은 없을 것이다.

23.07.15

그릭요거트

항상 서울로 올라오게 되면 할머니집에 머무른다.

우리 할머니집은 전형적인 시골 같은 집이 아니라 신도시에 자리 잡은 고층 아파트이다.

신도시라서 그런지 밤이 되면 낮보다 더 시끄러워 질때가 많다.

어떤날은 사람들이 펀치기계를 엄청 쎄게쳐서 가족 모두가 놀랐던 적이 있다.

할머니 집 주변엔 많은 음식점, 오락실, 인생네컷 등이 있는데 이 것들 때문에 밤에 잠을 잘 자지 못했던 게 다 수였다.

오늘은 내가 할머니집에 머물며 단 한번도 가본적 없는 그릭요거 트 집을 찾아갔다.

마침 어제 인스타에 친구가 그릭요거트를 먹으며 영화를 본 사진을 올린 게 생각나 더욱더 그릭요거트가 땡겼다.

그릭요거트 집에 들어가니 시원한 에어컨 바람이 날 마주했다.

난 키오스크로 가 매장주문으로 선택한 뒤 수많은 요거트 중에 난 바나나 그릭요거트를 눌렀다.

버튼을 누르니 어떤 요거트를 쓸건지 추가 과일과 토핑은 없는지, 더 많은 선택지를 가져왔다.

난 그냥 기본적인 것들을 막 선택한 뒤 자리에 앉아 인생 첫 그릭요거트를 기다렸다.

23.07.16

할게 없다

한없이 창밖만 바라보던 때가 있었다.

인생이 너무나도 무료해 누가 먼저 말을 걸어 줬으면 하는 때가 있었다.

창밖으로 굴러가는 작은 돌멩이를 멍하고 바라본다.

23.07.17

인류애

버스를 기다리다 내 목적지인 백화점으로 가는 새로운 버스를 발견하였다.

엄마랑 나는 얼른 버스를 다 이인석으로 뛰어갔다.

카드를 찍고 가는데 보이는 기사님은 다름 아닌 여자분이셨다.

내가 이전까지 봽던 버스기사분들은 대부분 남자였는데 여자분을 만나니 세잎클로버 사이 네잎클로버를 찾은 기분이었다.

자리에 앉으니 들려오는 잭슨 파이브의 데뷔곡, 시대를 불문하고 언제 들어도 좋은 곡을 버스에서 들으니 새로웠다.

곧이어 타는 승객 분들에게도 고개를 까딱 움직여 인사하시고 모두가 자리를 잡아 앉을때야 문을 닫으신다.

횡단보도에 다가왔을때는 어린이들이 다 지나갔는지 확인한 후에 출발하신다.

깔끔하고 파란 베스트와 경찰청장 같은 모자를 쓰시고 조종석 앞에 있는 것들을 막 움직이신다.

옆에 걸려있는 분홍색 꽃무늬 블라우스는 기사님이 어떤분인지 더 자세히 알려주신다.

버스문이 열릴때 큰 기계소리와 들려오는 손님들을 생각하는 기사님의 작은 목소리가 세세하게 손님들을 챙기는 좋은 기사님을 만나가는 길이 더 편하게 느껴졌다.

우리곁에 사소하지만 힘이되는 격려와 도움을 주는 사람이 있다는 사실을 까먹지 말고 내가 얻은 이 따뜻한 격려를 다른 사람들에게 나누어 줘야겠다는 생각이 들었다.

23.07.17

뻘쭘ㅁ;;

오늘 엄마가 밖에 일이 있어 아침 일찍 부터 나가셔야 했기에 난 아침 일찍 문을 여는 카페로 가 아메리카노와 망고주스를 시켰다.

최근에 알게된 사실이지만 내 카드 월 한도를 넘어서 엄마 카드를 쓰고 있다.

엄마는 삼십분후 카드를 내게 주시고 약속장소로 향하셨고 난 엄마카드, 엄키를 들고 한시간 후 카페를 나왔다.

난 오늘 하루를 어떻게 보낼지 생각을 해보았지만 결국 내가 카페에서 한것은 밀린 인스타보기 그리고 유튜브 보기였다.

카페에서 나와 요즘 유행하는 탕후루 집으로 향하는 길은 꽤나 가까운 거리에 있었지만 폭염 주의보가 뜬 이 날씨에서는 기존 날씨도 더워하는 나에겐 큰 리스크였다.

마치 찜기에 들어온같이 몸이 푹푹 쪄지고 있는 듯 했다.

탕후루 집은 꽤 구석진 곳에 있었는데 나도 모르게 살금 살금 다가는 사이 사람들이 힐끔힐끔 가게로 조심히 나를 쳐다보는 와중에 덤덤한 표정이였지만 속은 온갖 흥분을 하고 있었다.

매의 눈으로 가게 앞을 보는데 불이 켜져 있는지 아닌지 잘 보이지 않았다.

난 살짝 가까이가 가게 안을 살폈 봤는데 가게는 문이 닫혀 있었다.

“크흠..”

난 빠른 걸음으로 옆 건물로 들어가, 누구보다 빠르게 집으로 질주했다.

23.07.18

나도 K- 학생

학원에 도착해서 노트북과 충전기를 꺼내 놓고 핸드폰을 보며 20분 기다리니 어느새 수업 시간이다.

청천변력처럼 선생님이 오늘 시험이라고 하셔서 난 맨붕이 온채로 열려 있는 노트북에 노트를 열어 후다닥 내용을 몰래 읽었다.

선생님 말이 들릴 듯 아닐 듯 힐끔힐끔 내용을 봤다.

나 포함 2명이서 하는 수업이라 선생님은 내가 당황한걸 한번에 알아봤다.

얼굴은 선생님을 보며 웃고 있었지만 내 손가락은 정신 없게 움직이며 생각했다.이 많은 내용을 다 숙지하려면 하루는 디 걸릴거라는 걸 알기에 난 포기를 앞두고 있었다.

하지만 다행히도 선생님이 오늘은 친구와 같이 노트 보면서 하라 하셨고 나는 안도의 한숨을 쉬었다.

나와 이 학원을 다니는 친구는 판교에 있는 KIS를 다니는 홍똑띠였다.

똑띠는 판교 KIS 나는 제주 KIS라는 공통점이 있어서 처음 만났을때 반가웠다.

이 친구는 오래 전부터 이 학원을 다니던 친구라 선생님과도 더 친하고 더 똑똑하다.

문제를 보는데 알듯 말듯 질문들이 나왔다.

한 손으로 연필을 잡고 다른 손으로 머리채를 잡으며 꾸역꾸역 문제를 풀고 있을 때, 펄럭!

똑띠는 다음 장으로 넘겼고 난 첫장도 다 못풀은 상태였다.

나도 똑띠를 따라 다음장으로 넘어간다음 무작정 답을 적었다.

항상 문제를 풀때 이런 문제는 꼭 나온다.

익숙한 질문, 익숙한 답"들", 하나가 아닌 두개의 선택지가 있다.

하나는 익숙한 단어이지만 정답인진 모르겠고, 다른 하나는 쫌 고급 단어처럼 보인다.

나의 운명이 걸린 이 문제를 풀어야된다는 압박감이 몰려왔다.

방이 너무 덥고 속이 울렁거린다. 눈이 계속 깜빡이고 아까운 지우개만 쓰게 된다.

"후… 진정해."

문제를 머리로 읽으며 심호흡을 한다.

학교에서 시험 보는 것도 아닌데 너무나 고민된다.

학교에서는 거짓말이 아니라 한 일주일에 한번 꼭 시험이 있었다.

시험이 많은 날은 같은 날에 몰려있거나 연필 가져오는 걸 까먹기도 하는 등 누구나 학창시절에 겪어봤을 만한 시험 징크스다.

애들은 이런 스케쥴 때문에 잠을 설치는 건 물론이고 가끔 광기에 저려져있었다.

이렇게 지쳐있는 학생들과는 다르게 선생님들은 항상 웃으며 과제를 더 주셨는다.

그럴때마다 저 웃음이 가끔 무서웠던 우리는 선생님들의 표정으로 점수를 맞추는 것을 자주 하게 되었다.

" 야야! 오늘 샘 얼굴 겁나 시무룩해."

"헐 대박! 아싸 이번에 잘나왔다!"

이렇게 우리는 학기 후반까지 선생님들 얼굴로 성적을 알게 될 정도로 말이다.

23.07.19

백기 들자

얼마 안 남은 방학을 위해 나는 무언가를 해야겠다고 다짐했다.

하나밖에 채워지지 않은 버킷리스트가 불현 듯 떠올랐다.

침대에 박혀 있던 매일 매일이 너무나 아까웠다.

그러던 중 친구 인스타에 올라온 사진이 떠올랐다.

그 사진엔 친구와 다른 친구가 노는 모습이었다.

친구를 만난지 꽤 된것 같아서 난 친구들과 약속을 잡기 위해 친구들에게 메시지를 보냈다.

그러다 문득, 난 내 앞에 있는 숙제들을 보며 생각에 빠졌다.

'굳이 지금 해야되나… 수업은 며칠 된데..'

지금 안하면 미래의 내가 고생할테고 지금하기엔 너무 귀찮았다.

나는 눈을 딱감고 생각해본다.

미래의 내가 어떻게 될지 꾹참고 아이페드 전원을 끄고 책과 연필을 가져 온다.

무슨 한 페이지에 문제가 이렇게 많은지, 풀어도 풀어도 끝나지 않는 문제들이 수두룩하다.

난 반쯤 포기한 상태루 틀린 것 같아도 앞만 보며 달렸다.

23.07.20

가족

어렸을 때 나는 할머니 할아버지와 함께 살았는데 그래서인지 가끔 엄마보다 할아버지 할머니와 얘기를 더 자주한다.

특히 할아버지는 내가 첫 손녀라서 날 더 이뻐하셨다.

시간이 되면 산에 가서 산딸기도 따먹고 마트에 가서 온갖 스티커를 사주셨었다.

할머니와는 자주 만났었지만 할아버지는 방학동안 한번도 제대로 보지 못했다.

그래서 오늘 방학이 얼마 안 남은 이 시기에 보기로 해, 난 아침 일찍 엄마와 준비를 마치고 평소에 할아버지가 기다리는 곳으로 갔다.

나도 모르게 샌달을 신고 나와 발이 너무 아프다.

하필이면 새 신발이라서 신발이 도통 편하지 않다.

괜히 신발을 자연스럽게 만지며 고쳐 보지만 소용없다.

발을 파고 들어가듯 발 아래가 따끔 거린 그때 마침 저기 할아버지 차가 보인다.

23.07.21

흥얼흥얼

밤이 되면 노래를 듣는 걸 좋아한다.

내가 듣는 노래는 대부분 되게 벅차오면서 가슴을 웅장하게 해주는 노래들이다.

밤하늘과 함께 노래를 들으면서 과제를 하면 아무 문제 없이 편하게 과제에 집중할 수 있는 것 같다.

나는 파워F 이기 때문에 노래 가사에 빠르게 이해를 하는 편이라 노래를 들으면 노래에 따라서 기분이 달라지곤 하는데 특히 밥에는 잔잔한 바람공기와 밥하늘이 분위기를 만들어 더 이입이 잘된다.

오늘 듣는 노래는 올리비아 로드리고의 '뱀파이어'라는 곡으로 오늘밤 나의 기분을 더 흥분시켜줘 그런지 쉬이 잠에 들지 못했다.

플레이리스트
플리
로드리고_뱀파이어
로드리고
뱀파이어

23.07.22

귀찮이즘ㅁ

“달그락 달그락”

연필통 깊숙히 숨겨둔 연필한자루 그리고 깨끗한 지우개 하나, 이 두 개의 물체만 있으면 뭐든지 할 수 있다.

멀끔한 종이가 없어서 모눈공책을 꺼내 스케치를 시작한다.

쓱~그리다 멈추고 지우고, 또 그리다 멈추고 지우고를 반복한다.

제대로 된 그림이 나오기 위해선 주제가 또렷해야 된다.

최근에 내가 그린 그림의 주제는 바로 Y2K인데 오늘도 쫌 기발한 아이디어가 생각나길 바라며 종이를 한참 보는것도 어느새 5분을 넘겼다.

끄적대다 지우고 또 다시 끄적되다 지우고 오늘 따라 생각이 나지 않아 화가 날 지경이였다.

노래를 틀으면 도움이 될것 같아 핸드폰을 켰다.

아이디어를 찾기도 전에 관심 있는 동영상이 눈에 띄었다.

‘ 딱 5분만 봐..?’

나의 30분은 날라갔다.

“ 이제 뜸들이지 말고 바로 그리는거야!”

신나는 노래와 최고의 자세로 그림을 그리기 시작했다.

연필 끝이 가고 싶은 대로 이쪽 저쪽 움직였다.

23.07.23

…

살.

려.

줘.

23.07.24

추억의 장소

오늘 외출을 하던 중 어릴적 내가 제일 좋아하던 장소인 인라인 학원을 지나쳤다.

어릴적 나는 의외로 소심한 성격이였고 인라인은 그런 나에게 작은 피난처이자 내가 유일하게 자신있게 돌아다니던 곳이였다.

아직까지도 나는 그 학원에서의 추억이 어제일처럼 생각이 났다.

처음 인라인을 탔을때 벽을 짚으면서 교실을 돌았다.

엉덩방아를 찧을까 무서워 두 손으로 벽을 꼭 잡으며 박자의 맞춰서 하나 둘, 하나 둘 천천히 돌았다.

다른 애들처럼 씽씽 가고 싶은 마음보다 넘어질까 두려운 마음이 더 컸다.

학원을 다닌지 며칠 후에서야 인라인을 타고 제대로 쓸 수 있었다.

인라인을 타고 걸을때면 바퀴에서 타박타박 소리가 들린다.

혼자 나른하게 자갈밭을 걷는 느낌이 즐기다 보면 어느새 옆에 있던 언니 오빠들은 인라인의 빠른 속도를 즐기고 있다.

유치원이 끝나면 집에서 곧장 학원으로가 선생님이 도와주기도 전에 고사리 같은 작은손으로 인라인을 신어 복도에서 꾸물꾸물 움직여 댔다.

23.07.25

Enemy

인생을 살다보면 정말로 죽이고 싶은 사람이 생긴다.

정을 붙여 보려고 해도 도저히 안되는 사람들이 있다.

나는 밝고 착하고 털털한 이미지이지만, 생각보다 뒤끝도 많고 질투도 많이 한다.

사람 대 사람으로서 좋고 친하게 진하고 싶어서 그러는데 아무도 모른다.

내가 친구들에게 "오늘 기분 쫌 별루야" 라고 하면 처음에 관심을 가져주지만 그것도 잠시, 누구도 날 제대로 봐 주지 않는다.

나는 그냥 잊어버릴 거라고 이런걸로 기분 나쁘냐고, 나에 대한 이런 이상한 기대는 나에게 짐이 되고 내 목을 졸린다.

이런 나인데 왜 나한테만 이러는지 모르겠다.

그냥 다른 사람처럼 감정도 느끼고 숨도 쉬는데 뭐 때문에 이러는 것일까?

금방이라도 주먹 쥔 나의 손을 그 사람 얼굴에 날려 어딘가 싫은지 해코지 하고 싶다.

하지만 어느 시점에선 누구에게는 내가 그런 사람이 아닐까 하는 고민을 한다.

왜냐하면 나는 나를 짓누르는 사람들 때문에 누더기가 된 기분이기 때문이다.

23.07.26

강아지는 귀여워

요즘 나의 취미생활은 바로 강아지 동영상을 보는 것이다.

딱히 특별한 것은 아니지만 손만한 강아지가 재롱부리듯 움직일때면 심장이 녹아내린다.

이 동네 주변에는 강아지들이 정말 많이 사는 편이다.

옆집엔 시츄, 앞집엔 말티즈, 옆옆집은 퍼그, 아랫집은 푸들 등이 엘리베이터를 타고 올라올 때 강아지들을 마주치면 견주와 나는 어색한 기류에 갇혀 있지만 강아지의 눈빛 한번이면 이름을 물러보지 않을 수 없다.

귀여운 네 다리로 살랑살랑 거릴때 치명적인 뒷태와 깜찍한 앞모습을 가진 강아지들은 견주만 잘 만나면 호화롭게 살수 있다.

요즘엔 강아지 유모차, 강아지 음식 등 많은 강아지 용품이 있다.

귀여운 모습과는 달리 무시무시한 가격을 보고 뒷걸음치는 견주도 있겠지만, 세상은 불공평하고 몇몇은 가능했다.

또한 인스타를 보면 대부분의 게시물들이 귀여운 강아지들이 있다.

요즘 강아지들은 뭘 먹길래 똑똑할까라는 생각을 들게 한 동영상 본 적이 있다.

그 동영상은 보더콜리 같은 강아지가 혼자 음악에 맞춰 춤을 추는 것으로 난 순간 합성인 것 같아 눈만 껌뻑였지만, 놀랍게도 진짜 강아지였다.

물론 강아지에 매력에 빠진것은 나만이 아니다.

우리 동네 펫샵만 봐도 창문으로 강아지를 보는 사람들이 너무 많아 강아지들이 놀라는 것 같다.

강아지가 뛰어 오는 동영상만해도 하트가 수 만개, 내가 올린 영상은 하트가 100개조차 되질 않는다.

역시 개 팔자가 상팔자다.

한때 나도 강아지를 키웠을때가 있었는데 강아지 이름은 뽀또, 하얀 백설기 같은 아이였다.

처음에 꼬물꼬물했던 아이가 자라서 나만 보면 꼬리를 흔들며 달려오던 게 엊그제 같다.

다시 한번 강아지를 입양해 키우고 싶지만 나 스스로를 잘 챙기지 못한 미숙한 나이기에 차마 먼저 다가가지 못하겠다.

23.07.28

폭염주의

난 어릴때부터 열이 많았다고 한다.

엄마 말씀을 들으면 어릴때 자라고 이불을 덮어주면 이불을 걷어 차고 대자로 누워있었을 정도였다고 한다.

하지만 왜, 내가 서울에 올라온 지금! 폭염주의보가 뜨는 것인지.

폭염주의 알림이 오기도 전에 온몸으로 느껴지는 뜨거운 태양열에 도저히 밖에서 살아남지 못할거라고 예상했다.

뜨거운 태양 아래 나는 선크림도 바르지 않은 채 서 있었더니 빠르게 뛰어가려고 해도 햇빛이 나를 뜨거운 땅 바닥으로 짓눌러 한걸음 한걸음이 무겁다.

가만히 있어야지 이 더위에 적응해 생존할 수 있는 방법이다.

어디 시원한 음료 한잔 마시면서 에어컨을 켜고 이불 안으로 들어가고 싶었다.

왠지 모르게 에어컨을 켜면 이불을 꼭 덮고 싶어진다.

집으로 들어와서 창문을 닫고 에어컨을 켜고 화장실로가 시원한 물로 손발을 씻은 다음 목을 한번 쓱하고 닦으면 찝찝했던 몸이 상쾌해진다.

23.07.30

우리 가족은 파워 P

“아뿔사 일어나야지 아침인데, 눈깜았다 뜬 해가 중천인데.”

노래를 흥얼거리면서 여기저기 흩어져있는 짐들을 모아 나갈 채비를 했다.

바야흐로 어제 가족들이 식사를 끝나고 차를 마시던 중 아빠가 내 사촌 동생들애게 물어봤다.

“너, 내일은 뭐하니?”

사촌동생들은 서로를 바라보여 우물쭈물 하더니 남매중더 어린 송송이가 입을 열었다.

“내일 방학이라 아무것도 안 하는대여.”

"그래? 그럼 우리랑 같이 남산타워가자."

아빠가 이 말을 했을 당시에도 생각했지만 이것은 썩 좋은 생각은 아닌 것 같았는데 아니나 다를까, 그 예상은 썩 틀린 말은 아니였다.

차를 끌고 송이를 집에서 데려오고 또 송이의 오빠인 송찬이의 학원이 끝날 때까지 기다렸다.

기진맥진한 상태에서 난 언니의 의무를 다해야만 했다.

애들을 관리하고 애들과 함께 뒷좌석에 앉아 애들의 몸부림에 치우쳐 있었다.

특히 오늘은 내가 겪었던 것 중 최악이었다.

애들이 이제 나이가 들어서 힘도 제대로 쓸 수 있고 특히 오빠인 찬이의 언어 실력이 많이 늘었다.

아이들이 말하는 소리를 0부터 10까지 말하면, 20이라고 답할 것이다.

마치 육아체험을 하듯 한시도 쉴 수 없었고 탁구공이 된 듯이 애들 기분에 쳐져있었다.

예쁘게 단장한 머리가 잔뜩 성이 나 있고 얼굴에 다크서클이 생긴것 마냥 칙칙하다.

잠시 나만의 시간을 갖고 싶었기에 에어팟을 양쪽 귀에 꽂고 내 플레이리스트를 틀었다.

23.08.01

시작

눈이 감기고 졸려웠다.

하지만 버텨야했다.

“지금인가?!”

긴가민가한 시간 때문에 자리에서 엉덩이만 들썩거린다.

나 자신을 진정시켜 먼 산을 바라보았다.

저기 멀리 내 고향집이 있는 곳을 말이다.

눈을 뜨니 한시간 반이라는 시간이 지났고 아직도 실감이 나지 않아 멍하니 다시 잠들어 버렸다.

온갖 잡음에 차의 몸부림이 있었지만 너무 좋았다.

항상 서울에서는 자가용이 딱히 없어서 지하철을 이용했다.

특히 우리 동네까지 오는 공항버스가 없었기에 지하철을 탈 땐 한숨을 쉬며 오늘은 몇명의 사람을 마주하게 될까 고민을 한다.

안내표지판에 세워져 있는 다음 행선지를 보며 이 지하철의 모든 행선지를 외울 기세로 뚫어져라 보고 있었다.

가는 중에도 이상한 사람이 옆에 앉으면 매우 불쾌했고 캐리어 때문에 잠을 잘 못 잤었으나 이제는 한번에 가는 버스가 생겨 나의 삶이 한결 편해진 기분이다.

다시 모든 게 시작되는 그곳으로 가는 것이 매우 설레어진다.

작가의 말

이 사소한 일기 같은 책은 사실 작은 호기심에서 시작되었다.

학원에서 방학에 한번 글을 쓰는 것이었는데, 처음 이 과제를 받았을때는 바로 방학이 되기 2주 전이었다.

2주라는 긴 시간동안 고민한 뒤 내가 평소에 관심이 있었던 에세이를 쓰기로 했다.

잘 쓰고 싶은 나의 의지와는 다르게 문법, 스토리 구성, 재미요소 등 내가 정해놓은 기준치에 담기에는 턱없이 부족했다.

그렇게 글을 억지로 매일 매일 쓰니 나도 이 글도 지치기 시작해 버렸다.

어떤날은 너무 귀찮았고 어떤날은 까먹거나 딱 한줄만 쓰고 싶기도 했다.

하지만 나는 시간을 쪼개고 또 쪼개서 나온 귀한 시간을 단편의 글을 쓰는 데 썼고, 하루하루의 감정과 나의 소중한 추억들이 모두 모여 책 한권을 만들었다는 것에 내가 참 대단해 보인다.

죽을 만큼 바쁜 하루와 파란 하늘을 즐기는 하루, 외롭고 힘들었던 날, 가슴이 두근거렸던 하루 등 그 모든 하루가 나의 하루였다는 걸 알게 되었다.

하루를 살아가면서 고마운 사람은 참 많다는 것을 이 책을 쓰면서 새삼 다시금 깨닫게 되었고, 나의 기억 속 모든 사람들이 고마운것은 아니였지만 그마저도 기억하고 싶었다.

주마등처럼 스치는 이야기에 의미를 담고 사소한 것들에 감정을 넣는 이야기를 계속 이어 가니 마치 동화처럼 재밌고 새로운 이야기로 탄생할 수도 있지 않을까.

오늘은 7학년 내일은 8학년

발　행 | 2024년 03월 20일
저　자 | 최주희
편　집 | 심지혜, 허지선
펴낸이 | 한건희
펴낸곳 | 주식회사 부크크
출판사등록 | 2014.07.15.(제2014-16호)
주　소 | 서울특별시 금천구 가산디지털1로 119 SK트윈타워 A동 305호
전　화 | 1670-8316
이메일 | info@bookk.co.kr
폰　트 | 하늘보리체, 제주명조
ISBN | 979-11-410-7717-4

www.bookk.co.kr